BEGINNER'S FIRS
IN UKRAINIAN

Your Strong Base
for Correct Pronunciation and Reading

12 Easy Steps
With Online Audio

Yuliia Pozniak

www.ukrainianpro.com
ISBN 978-3-9824581-4-4   paperback
ISBN 978-3-9824581-5-1   EPUB

ЗМІСТ
CONTENTS

About This Book   4

Step 1: Ukrainian Alphabet   5

Step 2: Similar Look and Sound   8

Step 3: Look-alikes but Different Sound   9

Step 4: Sound-alikes but Different Look   11

Step 5: Vowels and Й   13

Step 6: "Extravagant" Look Letters   16

Step 7: Soft Sing   18

Step 8: Apostrophe   20

Step 9: Sounds [дж], [дз], [дзь]   22

Step 10: Let's Practice Reading   23

Step 11: Check Yourself!   25

Step 12: More Practice   26

Translation of the Words from Step 11   27

Ukrainian Alphabet: Names of the Letters   30

Bonus   33

Your Password to Access Audio Files   46

Next Step   47

ABOUT THIS BOOK

- This short but powerful course will guide you to build a strong pronunciation and reading base in Ukrainian in 12 easy steps.

- This book is for complete beginners or for those who want to improve their pronunciation skills.

- The excellent quality online audio for all the steps are read by a native speaker. You can find them here: **www.ukrainianpro.com/audio**

- To benefit more from this course, please, repeat sounds, syllables and words loudly after the speaker. In the Step 2 and further try to read the syllables before listening to the audio.

Your password to access audio files is on page 46 of this book.

STEP 1: UKRAINIAN ALPHABET

Here are the 33 letters of the Ukrainian Alphabet. Let's focus on the sound of these letters.

Listen and repeat. Don't try to remember all of them, we'll work on it during the next steps.

Note that in this exercise, we are focusing on how the letters sound, and not on their names. We'll check the names of the letters later in this book.

 Audio 1: www.ukrainianpro.com/start-audio

Letter	Syllables
Аа	ма та ка
Бб	ба бо бі бе
Вв	ва во ві ве
Гг	га го гі ге
Ґґ	ґа ґо ґі ґе
Дд	да до ді де
Ее	бе ме ке ве
Єє	єв єм єд

Letter	Syllables
Жж	жо жа же
Зз	за зо зе зі
Ии	ми би ви ди
Іі	мі бі ві ді
Її	їм їв їз
Йй	йо ой ай
Кк	ка ко ке кі
Лл	ла ло ле лі
Мм	ма мо ме мі
Нн	на но не ні
Оо	но мо бо до
Пп	по па пе пі
Рр	ра ро ре рі
Сс	са со се сі
Тт	та то те ті

Letter	Syllables
Уу	ту су му ку
Фф	фа фо фу фе фі
Хх	ха хо ху хе хі
Цц	ца цо це ці
Чч	ча чо чу че чі
Шш	ша шо шу ше ші
Щщ	ща що щу ще
ь *	ль ть сь зь
Юю	лю сю тю юл
Яя	ля ся тя ял

Important note: There are no rules in Ukrainian language about where to put an accent in a word. This is why it's recommended always to memorize Ukrainian words together with the accents.

*ь – soft sign. It doesn't have it's own sound. This sign softens the preceding consonants.

STEP 2: SIMILAR LOOK AND SOUND

These letters are similar to the English letters.

🎧 **Audio 2**

Аа Ее Іі Оо Кк Мм Тт

ма	ме	мо	мі
ка	ке	ко	кі
та	те	то	ті
ам	**ем**	**ом**	**ім**
ак	**ек**	**ок**	**ік**
ат	**ет**	**от**	**іт**

🎧 **Audio 3**

так — yes
ма́ма — mom
та́то — dad
ті́тка — aunt
те́ма — theme
кіт — cat
та, і — and

STEP 3: LOOK-ALIKES BUT DIFFERENT SOUND

🎧 Audio 4

Вв Нн Сс Рр Уу Хх

ва	ве	во	ві	ву
ав	ев	ов	ів	ув
на	**не**	**но**	**ні**	**ну**
ан	**ен**	**он**	**ін**	**ун**
са	се	со	сі	су
ас	ес	ос	іс	ус
ра	**ре**	**ро**	**рі**	**ру**
ар	**ер**	**ор**	**ір**	**ур**
ха	хе	хо	хі	ху
ах	ех	ох	іх	ух

ні — no
хáта — village house
він — he
вонá — she
воно́ — it
сім — seven
ві́сім — eight
кáва — coffee
сестрá — sister
рік — year
тут — here
там — there

STEP 4: SOUND-ALIKES BUT DIFFERENT LOOK

🎧 **Audio 6**

Бб Гг Ґґ Дд Зз Лл Пп Фф

ба	бе	бо	бі	бу
аб	еб	об	іб	уб
да	**де**	**до**	**ді**	**ду**
ад	**ед**	**од**	**ід**	**уд**
за	зе	зо	зі	зу
аз	ез	оз	із	уз
ла	**ле**	**ло**	**лі**	**лу**
ал	**ел**	**ол**	**іл**	**ул**
па	пе	по	пі	пу
ап	еп	оп	іп	уп
фа	**фе**	**фо**	**фі**	**фу**
аф	**еф**	**оф**	**іф**	**уф**

🎧 Audio 7

га-ґа	ге-ґе	го-ґо	гі-ґі	гу-ґу
аг-аґ	ег-еґ	ог-оґ	іг-іґ	уг-уґ

🎧 Audio 8

ба́ба — grandmother
дід — granddad
дім — house
зуб — tooth
дуб — oak
дах — roof
не́бо — sky

STEP 5: VOWELS AND Й

🎧 **Audio 9**

Аа – Яя
Ее – Єє
Уу – Юю
Ии - Іі – Її
Оо

Яя, Єє, Юю, Її are iotated vowels. They soften the preceding consonant.

🎧 **Audio 10**

ва-вя	па-пя	та-тя	ка-кя	ла-ля
ав-яв	ап-яп	ат-ят	ак-як	ал-ял
ве-вє	**пе-пє**	**те-тє**	**ке-кє**	**ле-лє**
ев-єв	**еп-єп**	**ет-єт**	**ек-єк**	**ел-єл**
ву-вю	пу-пю	ту-тю	ку-кю	лу-лю
ув-юв	уп-юп	ут-ют	ук-юк	ул-юл
ли-лі	**пи-пі**	**ти-ті**	**ки-кі**	**ли-лі**
ил-іл	**ип-іп**	**ит-іт**	**ик-ік**	**ил-іл**

за-зя	да-дя	ра-ря	фа-фя	га-гя
аз-яз	ад-яд	ар-яр	аф-яф	аг-яг
зе-зє	**де-дє**	**ре-рє**	**фе-фє**	**ге-гє**
ез-єз	**ед-єд**	**ер-єр**	**еф-єф**	**ег-єг**
зу-зю	ду-дю	ру-рю	фу-фю	гу-гю
уз-юз	уд-юд	ур-юр	уф-юф	уг-юг
зи-зі	**ди-ді**	**ри-рі**	**фи-фі**	**ги-гі**
из-із	**ид-ід**	**ир-ір**	**иф-іф**	**иг-іг**

Йй is a consonant, and never occurs before Аа, Ее, Уу, Іі, Ии.

ой-йо	ай - **я** (not йа)	ей - **є** (not йе)	уй - **ю** (not йу)	ий - **ї** (not йі, йи)

йо́гурт — yogurt
йод — iodine
йо́га — yoga
мій — my (with masculine nouns)
моя́ — my (with feminine nouns)
моє́ — my (with neutral nouns)
мої́ — my (with plural nouns)
твій — your (with masculine nouns)
твоя́ — your (with feminine nouns)
твоє́ — your (with neutral nouns)
твої́ — your (with plural nouns)
його́ — his
її — her
їх — their
я їм — I eat
ми їмо́ — we eat
дай — give (imperative)

STEP 6: "EXTRAVAGANT" LOOK LETTERS

🎧 **Audio 14**

Жж Цц Чч Шш Щщ

жа	жо	жу	же	жи	жі
аж	ож	уж	еж	иж	іж
ца	**цо**	**цу**	**це**	**ци**	**ці**
ац	**оц**	**уц**	**ец**	**иц**	**іц**
ча	чо	чу	че	чи	чі
ач	оч	уч	еч	ич	іч
ша	**шо**	**шу**	**ше**	**ши**	**ші**
аш	**ош**	**уш**	**еш**	**иш**	**іш**
ща	що	щу	ще	щи	щі
ащ	ощ	ущ	ещ	ищ	іщ

ча́шка — cup
чолов́ік — husband, man
дружи́на — wife
маши́на — car
Що? — What?
Чому́? — Why?
цирк — circus
журна́л — magazine
життя́ — life
ща́стя — happiness
це – it, this
Що це? – What is it?
Хто це? –Who is it?

STEP 7: SOFT SING

ь – this is the soft sign. It doesn't represent any sound, but softens the preceding consonant.

🎧 **Audio 16**

1) д - дь	2) т - ть	3) з - зь	4) с - сь
ад - адь	ат - ать	аз - азь	ас - ась
ед - едь	ет - еть	ез - езь	ес - есь
ид - идь	ит - ить	из - изь	ис - ись
ід - ідь	іт - іть	із -ізь	іс - ісь
уд - удь	ут - уть	уз - узь	ус - усь
5) ц - ць	6) л - ль	7) н - нь	8) р - рь
ац - аць	ал - аль	ан - ань	ар – арь
ец - ець	ел - ель	ен - ень	ер – ерь
иц - иць	ил - иль	ин - инь	ир - ирь
іц - іць	іл - іль	ін - інь	ір - ірь
уц - уць	ул - уль	ун - унь	ур - урь

день — day
готе́ль — hotel
діду́сь — grandfather
ба́тько — father
олівéць — pencil
нуль — zero
віта́льня — living room
парасо́лька — umbrella
о́сінь —autumn
низьки́й —low
мале́нький —little
корабе́ль — ship

STEP 8: APOSTROPHE

Apostrophe (') separates a hard consonant from a iotated vowel. We use apostrophe only before: **я, ю, є, ї**, and after: **м, в, п, б, ф, р**.

 Audio 18

пя - п'я	пю - п'ю	пє - п'є	п'ї *
мя - м'я	мю - м'ю	мє - м'є	м'ї
вя - в'я	вю - в'ю	вє - в'є	в'ї
бя - б'я	бю - б'ю	бє - б'є	б'ї
фя - ф'я	фю - ф'ю	фє - ф'є	ф'ї
ря - р'я	рю - р'ю	рє - р'є	р'ї

* ї never follows a consonant without an apostrophe

 Audio 19

Listen and repeat:

па - пя - п'я
му - мю - м'ю
ве - вє - в'є
би - бі - б'ї
фа - фя - ф'я

ру - рю - р'ю
пу - пю - п'ю
ма - мя - м'я
фи - фі - ф'ї

20

сім'я́ — family
ім'я́ — name
об'я́ва — ad
м'яч — ball
п'ять — five
де́в'ять — nine
комп'ю́тер — computer
м'я́со — meat
п'я́тниця — friday

STEP 9: SOUNDS [ДЖ], [ДЗ], [ДЗЬ]

🎧 **Audio 21**

джа	джо	дже	джи	джу
дза	дзо	дзе	дзи	дзу
дзьо	адзь	одзь	едзь	удзь

🎧 **Audio 22**

джміль — bumblebee
дзьоб — a break
я їжджу — I go (by vehicle)
я ходжу́ — I go (by foot)
джерело́ — source

STEP 10: LET'S PRACTICE READING

🎧 **Audio 23**

Frequent letter combinations:

ати - ити
вий - ва - ве - ві - ний - ній
ка - та - ба - ча - ва - да - ра
ист - іст - ія
ою - ею - єю
ами - ями
ем - єм
ок - ек - ень
за - на - по - про - при
ну - ону
іть - мо - те
уй - ай - ей - ой
ила - ели - али - оли

More syllables:

да - та	ду - ту	де - те	ди - ти
за - са	зу - су	зе - се	зи - си
га - ха	гу - ху	ге - хе	ги - хи
ґа - ка	ґу - ку	ґе - ке	ґи - ки
ара - ала	уру - улу	ере - еле	ири - или
аша - ажа	ушу - ужу	еше - еже	иши - ижи
по - бо	пі - бі	па - ба	пу - бу

STEP 11: CHECK YOURSELF!

Try to read these words and guess their meaning, then listen to the audio (the translation is at the end of this book).

🎧 **Audio 25**

томáт, метр, мотóр, рок, мáпа, метрó, ракéта, текст, таксí, момéнт, сонáта, Інтернéт, нóта, кінó, кáктус, турúст, студéнт, студéнтка, мýзика, університéт, інститýт, харáктер, банк, гітáра

🎧 **Audio 26**

гімнáстика, гімнáст, дантúст, демокрáт, модéль, мéтод, гід, відео, вíза, вáза, літр, лимóн, клуб, колéга, інтелéкт, кіломéтр, кілогрáм, телевíзор, балéт, парк, порт, парлáмент, економíка, економíст

🎧 **Audio 27**

спорт, спортсмéн, еколóгія, актóр, репортéр, журнáл, шампýнь, чек, центр, футбóл, баскетбóл, комéдія, дрáма, трагéдія, теáтр, цирк, клуб, ресторáн, сáуна, дискотéка, диск, проблéма, систéма

STEP 12: MORE PRACTICE

🎧 Audio 28

Geographical names:

Україна, Ки́їв, Львів, Оде́са, Карпа́ти, Дніпро́, Євро́па, А́фрика, А́зія, Аме́рика, Австра́лія, Антаркти́да, Кита́й, Пари́ж, Барсело́на, Рим, Ло́ндон, Берлі́н, Пра́га, Тулу́за, Іра́н, Монго́лія

🎧 Audio 29

Some popular names in Ukraine:

Мико́ла, Тара́с, Ната́ля, Катери́на, Мака́р, Іва́н, Га́нна, Софі́я, Кири́ло, Яросла́в, О́льга, Світла́на, Наді́я, Іри́на, Богда́н, Дени́с, Миха́йло, Марі́я

🎧 Audio 30

Let's read some simple phrases:

- Це ти?	- Is that you?
- Так, це я.	- Yes, it's me.
- Де ти?	- Where are you?
- Я тут.	- I'm here.
- Це ма́ма?	- Is this mom?
- Так, це ма́ма.	- Yes, it's mom.
- Це та́то?	- Is this dad?
- Ні, це не та́то.	- No, it's not dad.
- Ма́ма тут?	- Is mom here?
- Так, вона́ тут.	- Yes, she's here.
- Та́то тут?	- Is dad here?
- Ні, він не тут. Він там.	- No, he's not here. He is there.

TRANSLATION OF THE WORDS FROM STEP 11

томат	tomato
метр	meter
мотор	motor
рок	rock
мапа	map
метро	metro
ракета	rocket
текст	text
таксі	taxi
момент	moment
соната	sonata
Інтернет	Internet
нота	musical note
кіно	cinema
кактус	cactus
турист	tourist
студент	student, m
студентка	student, f
музика	music
університет	university
інститут	institute
характер	character
банк	bank
гітара	guitar
гімнастика	gymnastics
гімнаст	gymnast
дантист	dentist
демократ	democrat
модель	model
метод	method
гід	guide

відео	video
віза	visa
ваза	vase
літр	liter
лимон	lemon
клуб	club
колега	colleague
інтелект	intellect
кілометр	kilometer
кілограм	kilogram
телевізор	TV
балет	ballet
парк	park
порт	port
парламент	parliament
економіка	economy
економіст	economist
спорт	sport
спортсмен	sportsman
екологія	ecology
актор	actor
репортер	reporter
журнал	magazine
шампунь	shampoo
чек	check
центр	center
футбол	football
баскетбол	basketball
комедія	comedy
драма	drama
трагедія	tragedy
театр	theater
цирк	circus

клуб	club
ресторан	restaurant
сауна	sauna
дискотека	disco
диск	disc
проблема	problem
система	system

UKRAINIAN ALPHABET: NAMES OF THE LETTERS

Learning the names of the letters is not an obligatory step but it can be useful if your study is profound.

Letter	Letter's Name
1) Аа	а
2) Бб	бе
3) Вв	ве
4) Гг	ге
5) Ґґ	ґе
6) Дд	де
7) Ее	е
8) Єє	є
9) Жж	же
10) Зз	зе
11) Ии	и
13) Її	ї

Letter	Letter's Name
14) Йй	йот
15) Кк	ка
16) Лл	ел
17) Мм	ем
18) Нн	ен
19) Оо	о
20) Пп	пе
21) Рр	ер
22) Сс	ес
23) Тт	те
24) Уу	у
25) Фф	еф
26) Хх	ха
27) Цц	це
28) Чч	че

Letter	Letter's Name
29) Шш	ша
30) Щщ	ща
31) ь	м'який знак
32) Юю	ю
33) Яя	я

BONUS!

10 first texts from the "100 Easy Ukrainian Texts: Ukrainian Language Reader For Beginners"

РОЗДІЛ 1: Я І МОЯ РОДИНА
MY FAMILY AND I

Слова

Words

ім'я́	name
прі́звище	surname
сім'я́ = роди́на	family
ма́ти (ма́ма)	mother (mom)
ба́тько (та́то)	father (dad)
батьки́	parents
брат	brother
сестра́	sister
діду́сь (дід)	grandfather
бабу́ся (ба́ба)	grandmother
ті́тка	aunt
дя́дько	uncle
дружи́на	wife
чолові́к	husband
син	son
дочка́	daughter
друг	friend, m
по́друга	friend, f
дру́зі	friends
вели́кий	big
мале́нький	little
вели́ка роди́на	big family
мале́нька роди́на	little family
дити́на	child
ді́ти	children

Речення

Я – Марі́я.	I am Maria.
Мене́ зва́ти Марі́я.	My name is Maria.
Моє́ ім'я́ Марі́я.	My name is Maria.
Я – Павло́.	I am Pavlo.
Мене́ зва́ти Павло́.	My name is Pavlo.
Моє́ ім'я́ Павло́.	My name is Pavlo.
Моє́ прі́звище Петре́нко.	My surname is Petrenko.
Як тебе́ зва́ти?	What's your name?
Зві́дки ти?	Where are you from?
Я з Украї́ни.	I'm from Ukraine.
Скі́льки тобі́ ро́ків?	How old are you?
Мені́ два́дцять (20) ро́ків.	I'm 20 years old.
У ме́не є ма́ма.	I have a mom.
У ме́не є та́то.	I have a dad.
У ме́не є брат.	I have a brother.
У ме́не є сестра́.	I have a sister.
У ме́не є дру́зі.	I have friends.

Тексти

1.1 Привіт!

Мене́ зва́ти А́лла. На цьо́му фо́то – моя́ роди́на. Це моя́ ма́ти Полі́на, це мі́й ба́тько Віта́лій, це мі́й ста́рший брат Славко́, це моя́ ста́рша сестра́ Марі́я, це моя́ моло́дша сестра́ Окса́на. Це мі́й діду́сь Андрі́й Дани́лович, це моя́ бабу́ся Дари́на Іва́нівна, це моя́ ті́тка Христи́на, це мі́й дя́дько Мико́ла. У ме́не вели́ка роди́на!

це	this (is)
на цьому	on this
фото	photo
старший брат	older brother
молодший брат	younger brother
старша сестра	older sister
молодша сестра	younger sister
цей чоловік	this man
ця жінка	this woman
це фото	this photo
ці діти	these children
Це чоловік.	This is a man.
Це жінка.	This is a woman.
Це фото.	This is a photo.
Це діти.	These are children.

1.2 Привíт!

Менé звáти Гáнна. Я з Украïни. Моé рíдне мíсто – Лýцьк. А це – моя́ родúна. Це мíй бáтько Олексíй Володúмирович, це моя́ мáти Галúна Петрíвна, це моя́ сестрá Софíя, а це мíй брат Богдáн. Ще в нас є пес Рекс та кíшка Мýрка. Я люблю́ свою́ родúну.

рíдне мíсто	native city
пес	dog
кíшка	cat
я люблю	I love
любити	to love

1.3 Добрий день!

Я – Володи́мир. Я живу́ в Украї́ні, в мі́сті Ки́єві. У ме́не вели́ка сім'я́. У ме́не є дружи́на Оле́на та тро́є діте́й. Ста́ршого си́на зва́ти Оле́г, моло́дшого си́на – І́гор, а доньку́ – Тетя́на. Мої́ батьки́ живу́ть по́ряд з на́ми і ми ча́сто ба́чимося. Мого́ та́та зва́ти Петро́ Олексі́йович, а ма́му – Лі́дія Григо́рівна. Моя́ дружи́на з Росі́ї, її батьки́ живу́ть дале́ко від нас, але ми ча́сто спілку́ємося з ни́ми по "Ска́йпу".

я живу	I live
жити	to live
місто	city
в мене є	I have
сім'я = родина	family
поряд	near
далеко від	far from
часто	often
бачитися	to see each other
спілкуватися	to communicate

1.4 Віта́ю!

Мене́ зва́ти Ната́ля, я з Украї́ни, з мі́ста Оде́са. Це мі́сто знахо́диться бі́ля мо́ря. Я ду́же люблю́ мо́ре. Вся моя́ роди́на живе́ тут. У ме́не є ба́тько, ма́ти, дві сестри́, брат, бабу́ся та діду́сь і ті́тка. Мій ба́тько – моря́к, моя́ ма́ти – еконо́мі́ст. Моя́ ста́рша сестра́ вчи́ться в університе́ті. Вона́ бу́де лі́карем. Моя́ моло́дша сестра́ ще вчи́ться в шко́лі. Бабу́ся та діду́сь – пенсіоне́ри. Моя́ ті́тка ма́є вла́сну крамни́цю соло́дощів. Я вчу́ся в лінгвісти́чному університе́ті. А чим Ви займа́єтеся?

знаходитися	to be located
біля моря	near the sea
море	sea
весь/вся/все/всі	all (m/f/n/pl)
моряк	sailor
економіст	economist
вчитися	to study
університет	university
вона буде	she will be
лікар	doctor
школа	school
пенсіонер	pensioner
я маю	I have
мати	to have
власний	own
крамниця солодощів	candy shop
займатися	to do, to engage in

1.5 Доброго ра́нку!

Як спра́ви? Мене́ зва́ти Павло́, я архіте́ктор. В ме́не невели́ка, але дру́жна роди́на. Мою́ дружи́ну зва́ти Катери́на. Вона́ – худо́жниця. В нас є син Дмитро́. Йому́ чоти́ри (4) ро́ки. Він хо́дить в дитя́чий садо́к. Я ду́же люблю́ свою́ роди́ну. Влі́тку ми пої́демо відпочива́ти на мо́ре до Оде́си. В нас там живу́ть ро́дичі. Вони́ за́вжди* ра́ді нас ба́чити.

архітектор	architect
невелик**ий**/а/е/і	little, not big (m/f/n/pl)
дружн**ий**/а/е/і	friendly (m/f/n/pl)
художник/художниця	artist (m/f)
ходити	to walk, to go, to visit
дитячий садок	kindergarten
дуже	very
влітку	in summer
ми поїдемо	we will go
їхати, їздити	to go, to drive
відпочивати	to relax, to rest
родичі	relatives
радий	glad
бачити	to see

* For the words також (also), завжди (always) the both variants of accentuation are correct.

1.6 Добрий ве́чір!

Моє́ ім'я́ Олекса́ндр. Моє́ прїзвище Короле́нко. Я — водíй автóбуса. Я ду́же люблю́ свою́ робóту. Моя́ дружи́на Мари́на — вчи́тель в шкóлі. Вона́ виклада́є матема́тику. Їй теж подóбається її́ робóта, бо вона́ лю́бить діте́й. На́ша дочка́ Ірі́на вчи́ться в цій шкóлі в дру́гому кла́сі. На вихідни́х ми зазвича́й хóдимо в музе́й чи в теа́тр, а відпу́стку нам подóбається провóдити у Льво́ві.

ім'я	name
прізвище	surname
водій автобуса	bus driver
робота	work, job
вчитель в школі	teacher at school
викладати	to teach
математика	math
їй подобається	she likes
діти	children
другий клас	second grade
на вихідних	on the weekend
зазвичай	usually
ходити	to walk, to go
музей	museum
театр	theater
відпустка	vacation
проводити	to spend
проводити час	to spend time

1.7 Всім привіт!

Мене́ зва́ти Мико́ла, мені́ п'ятна́дцять (15) ро́ків. Я з України, з мі́ста Су́ми. Я навча́юся в шко́лі та займа́юся спо́ртом. У ме́не вели́ка роди́на: ма́ма, та́то, дві бабу́сі, діду́сь, ті́тка та дя́дько, брат, дві сестри́. Мої́ батьки́ — — підприє́мці. Вони́ займа́ються пошиття́м та ремо́нтом о́дягу. Моя́ ті́тка — модельє́р, мій дя́дько — води́й. Ми з брата́ми та се́страми допомага́ємо батька́м з бі́знесом. Мої́ се́стри слідку́ють за мо́дою та пропону́ють ціка́ві моде́лі о́дягу, брат шука́є нові́ ткани́ни, а я займа́юся рекла́мою. Нам подо́бається допомага́ти батька́м.

я навчаюся	I study
навчатися	to study
займатися спортом	to do sport, to play sport
підприємець=бізнесмен	businessman
пошиття	sewing
шити	to sew
ремонт	repair
одяг	clothes
модельєр	designer, stylist
водій	driver
допомагати	to help
слідкувати	to keep an eye on
пропонувати	to offer
шукати	to search, to look for
нов**ий**/а/е/і	new (m/f/n/pl)
тканина	cloth, fabric
реклама	advertising

1.8 Вітáю!

Менé звáти Соломíя. Я живý в Украïні. Мій бáтько Яков —
— поля́к, він лíкар. Моя́ мáти Лíлія — украïнка, вонá
журналíстка. Я — студéнтка університéту. Ще у мéне є
молóдша сестрá Марíя та стáрший брат Богдáн. Ми ду́же
лю́бимо твари́н. У нас є два коти́, пес та папу́га. Захóдьте
до нас в гóсті!

поляк	Pole, m.
полячка	Pole, f.
украïнець	Ukrainian, m.
украïнка	Ukrainian, f.
тварини	animals
папуга	parrot
заходьте	come in (imperative)

1.9 Дóбрий день!

Я — Вітáлій із Запорíжжя. У мéне велúка та дрýжна родúна. Ми живéмо у велúкому будúнку за мíстом. Я працюю в цéнтрі, тому я íжу на машúні на робóту. Моя молóдша дочкá Алíна навчáється в шкóлі, а стáрша дочкá Гáнна вже працює. Мій син Денúс — студéнт. Він навчáється в íншому мíсті.

в центрі	in the center
центр	center
їхати, їздити	to drive, to go
на машині	by car
машина	car
робота	work
вже	already
навчатися	to study
інше місто	another city
інший день	another day
інша машина	another car
інше вікно	another window
інші будинки	other houses

1.10 Привíт!

Менé звáти Івáн, менí двáдцять сім (27) рóків. Я українець. Я живý в Канáді. Я — програмíст. У мéне є велúка сім'я́. Моя́ дружúна Катерúна — перекладáч. Мій молóдший син Пíтер хóдить до шкóли, а мій стáрший син Рóберт вивчáє лінгвíстику в університéті. Мої батькú живýть в Украї́ні. Ми чáсто говóримо по "Скáйпу", а влíтку вонú приї́дуть до нас в гóсті. Батькú зáвждú розповідáють нам про своє́ життя́ та про плáни на майбýтнє.

програміст	programmer
перекладач	translator, interpreter
ходити до школи	to go to school
вивчати	to study, to learn
говорити по "Скайпу"	to speak on "Skype"
влітку	in summer
приїдуть до нас в гості	will come to visit us
вони розповідають	they tell
розповідати	to tell
про своє життя	about their life
плани на майбутнє	plans for the future

YOUR PASSWORD TO ACCESS AUDIO FILES

On the website www.ukrainianpro.com/audio choose your book ("Beginner's First Steps in Ukrainian") and enter your password to access the audio.

Your password: ReadUkrainian!

Please, don't share and don't publish this password.

NEXT STEP

Now practice your skills with **"100 Easy Ukrainian Texts"**! With this book, you can listen to the easy texts and learn Ukrainian. Try reading and listening simultaneously for better results.

"A New Home for Leo" is a bilingual children's story in Ukrainian and English, ideal for bilingual families, and people who learn Ukrainian as a second language.

Check out my website for more Ukrainian language learning resources: **www.ukrainianpro.com**

CPSIA information can be obtained
at www.ICGtesting.com
Printed in the USA
BVHW031336041122
651156BV00015B/502

9 783982 458144